U0039123

金紅石
vs.
鋼玉
三兄弟

金紅石～那應該擺這裡吧？

不，維持那種配色就好了。

藍寶石馬上就想弄成跟自己相近的顏色～

不然顏色會不平衡啊。

閉嘴——

就說交給我處理了！

抱歉抱歉。

擔心嘛。

這不會削得太粗了嗎？

那是你用的！

硬度九去上戰場啦！

我可以看嗎？

起來啦！

好普通喔！藍錐礦小弟

好猶豫冬眠服要選哪種設計喔，小藍喜歡哪款？

呃。

這個吧。

果然！

謝囉。

啊咧。

剝剝不是問我的意見嗎？

抱歉抱歉，今年想說風格大膽一點。

那這你喜歡哪款？

．．．．．．

這個！

OK！

啊咧。

VECHWEY

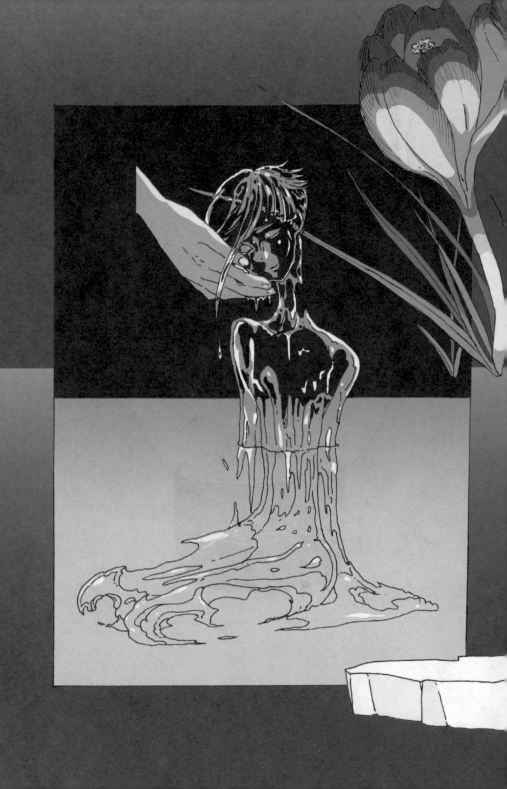

太悲傷了

RNOON
KC

ISBN978-4-06-516

寶石之國

0

市川春子

談社

我們搞不好能變得更要好，
不覺得很興奮嗎？

遙遠的未來，有群永生不死的寶石們。
很久很久以前，主角・磷葉石還未誕生，
金綠寶石與藍色黝簾石彼此很處不來，
為此擔憂的帝王托帕石提議三個人來交換日記。
一開始很不情願的藍色黝簾石，
卻因此發揮出意外的才能──。
這是寶石們溫馨又輕鬆的科幻奇想故事。

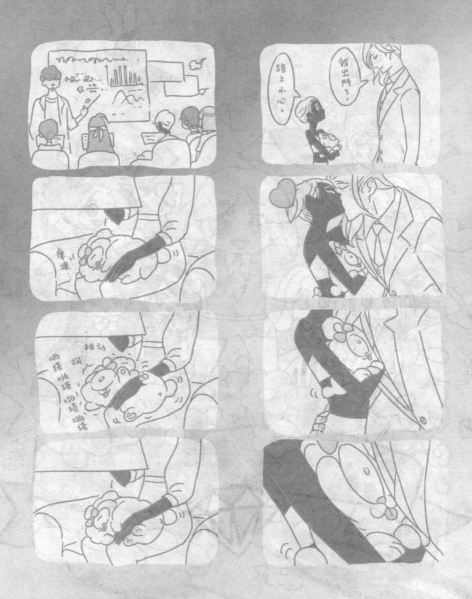

來問問看小柱吧

工匠的夢

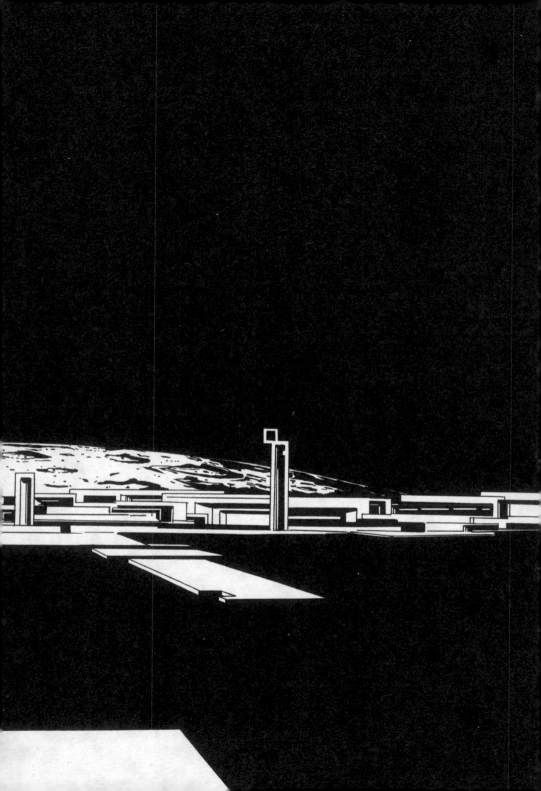

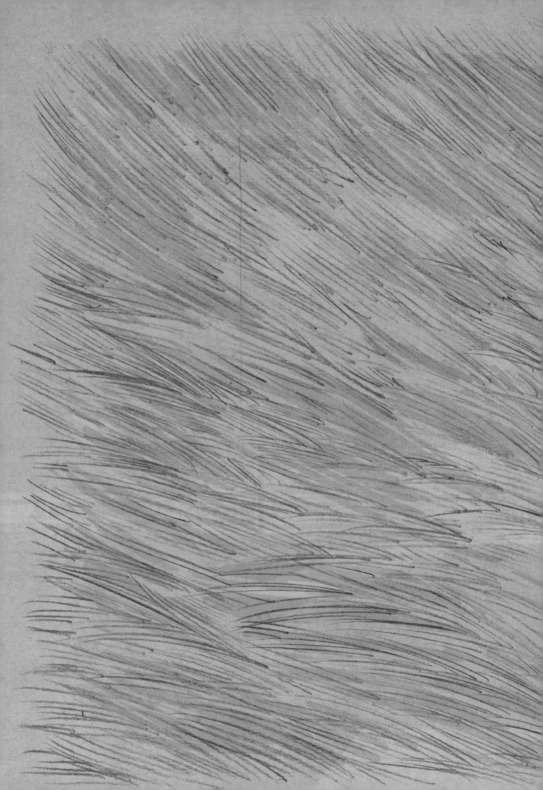

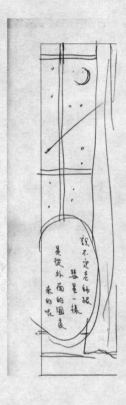

說不定老師跟那些星一樣是從外面的國度來的呢

2010 年前後作者網站刊載了《寶石之國》的原始雛型版本，這次找到了少量原稿。

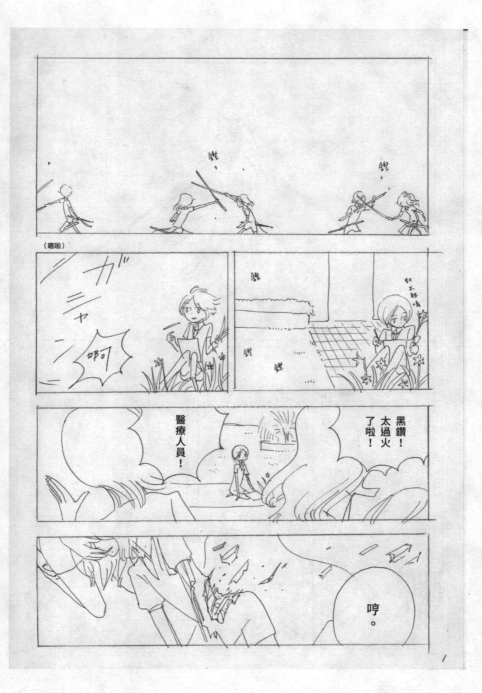

4

（啪嘶）

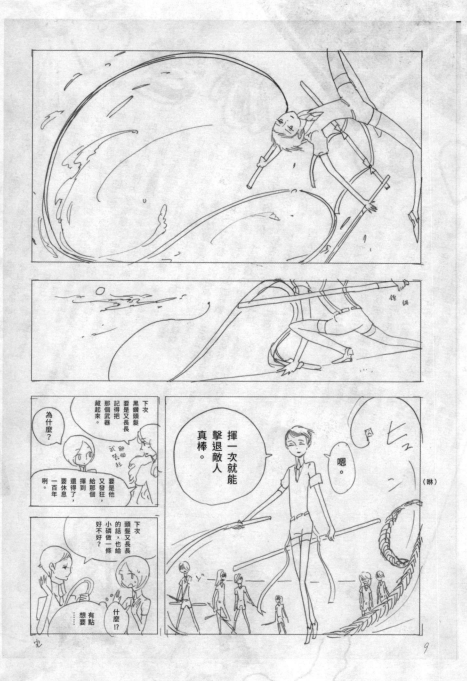

完

Houseki no Kuni Special

市川春子

あとがき 後記

這次又附上特典 小冊子了。二〇一
八年底與責任編輯討論時，我隨興與提了個
企畫：「我在想啊，弄個裡頭收錄很
多塗鴉的東西怎麼樣啊？」之後便
無消無息。到了單行本發售的兩個
月前左右吧，他才說：「還是附個特
典吧！」使得內容構思變成這樣了。當時
工作排程都備感艱辛。但先提先提吧。構思
那就由我這邊來提案上做拼貼畫。
作者我著迷於用超市熟食或是水果
上頭的貼紙就變成這樣了。
所以冊子的風格就變成這樣了。
時想說來參考一下前幾集的特典小
冊子，翻著翻著，突然蹦出「頁數
太少了」的感想。好想增加小冊子
物理上的分量，因為這樣得增加大量
要這次的頁數比上次多一倍」，我真
是怪人啊，還在休載了一個月，每天就
圖，翻完後把圖排在一起看，那個月
是一直畫，一天畫好幾張。
心情很妙，畫著畫著「我到底在幹
嘛啊」，一直想著「我到底在幹
輯說「看著看著不知為何會覺得很
不安」，所以我為每張圖各花五秒想
了下面這些標題。還有，《舊寶石之
國》這一話和少量草圖是我年末大
掃除時挖到的紙張原稿，我們略為
調整了格式當成紀念收錄在這裡。

覺醒
樂園
破曉
金紅石 VS. 好惡分明的剛玉三兄弟
肉之一族：誰能夾住毛茸茸
挑戰！
撲克牌
夜晚的約會
真的很普通！不會說出期待中答案的那種類型的巴爾巴塔老師
那也是藍錐礦小弟迷人之處
告訴我吧！
被淘汰的封面
雪景球
設計
融解
錄音帶
存錢桶
SHOW TIME（被詩獎會變更好）
Night Beach
最新刊
SHOW TIME
太悲傷了但每天還是很開心
換裝娃娃
蓬蓬的少女們的冬天祕密對話
失語
注視
小狗和公主每天的相處都很暖心
KAWAI！迷你寶石
Ice Sea
《寶石之國》開始囉～！
當作沒問過小桂吧
催交件的公主來襲
假日遊戲大會
工匠的夢（似乎平常就會這樣說）
荒野
前輩糖果
昔日之地
青空
Beautiful City
First marriage on the moon
舊寶石之國
贈品貼紙

就這樣。
♡ 謝謝大家閱讀 ♡